KU-350-851

Cari amici roditori,
benvenuti nel mondo di

Geronimo Stilton

CORRIERE DELLA SERA

Eco del Roditore
Redazione

Geronimo Stilton Collection
1 – Il misterioso manoscritto di Nostratopus

Edizione speciale per il Corriere della Sera

GLI ILLUSTRATI DEL CORRIERE DELLA SERA
Direttore responsabile: Paolo Mieli
RCS Quotidiani S.p.A.
Via Solferino, 28 – 20121 Milano
Sede legale: Via Rizzoli, 2 – Milano
Testata in corso di registrazione
ISSN 1825-2257

Testi di Geronimo Stilton.
Copertina di Larry Keys.
Illustrazioni interne: idea di Larry Keys.
realizzazione di Tito Ricotta.
Grafica di Merenguita Gingermouse *e* Zeppola Zap.

www.geronimostilton.com

I Edizione 2000

15033 Casale Monferrato (AL) - Via del Carmine, 5
Tel. 0142-3361 - Telefax 0142-74223

Finito di stampare nel mese di settembre 2005 presso:
Nuovo Istituto Italiano di Arti Grafiche - Bergamo
G&C Canale - Borgaro Torinese

Geronimo Stilton

IL MISTERIOSO MANOSCRITTO DI NOSTRATOPUS

GERONIMO STILTON
TOPO INTELLETTUALE,
DIRETTORE DE L'*ECO DEL RODITORE*

TEA STILTON
SPORTIVA E GRINTOSA,
INVIATO SPECIALE DE L'*ECO DEL RODITORE*

TRAPPOLA STILTON
INSOPPORTABILE E BURLONE,
CUGINO DI GERONIMO

BENJAMIN STILTON
TENERO E AFFETTUOSO,
NIPOTINO DI GERONIMO

Io sono un tipo, *cioè un topo...*

Dunque dunque dunque, da dove inizio a raccontare questa storia?
Ah già, ecco: innanzitutto mi presento.

Il mio nome è Stilton, *Geronimo Stilton!*
Io sono un tipo, *cioè un topo,* editore: dirigo l'*Eco del Roditore,* il quotidiano più diffuso dell'Isola dei Topi.
Per mille mozzarelle... tutto cominciò

così, proprio così, quel martedì pomeriggio, nella redazione del mio giornale...
Era una tranquilla giornata d'inverno: fuori faceva **FREDDO**, ma nell'ufficio della mia casa editrice si stava proprio bene.
Il fuoco era acceso nel camino: **ah, che bel calduccio!**
Sorseggiando del tè **scuro** e bollente, ben zuccherato, rosicchiai un bocconcino di grana stagionato e ripresi a lavorare.
Fatture, contratti, ricevute: sistemavo la contabilità della mia casa editrice.
Dunque, sembrava un normale, calmo, tranquillo martedì, quando...
Una vocetta squillante mi trapanò i timpani, facendomi sobbalzare sulla sedia.
– **CAPOOO!** – squittì Pinky, la mia collaboratrice editoriale.

– Non strillare Pinky, ti prego! – borbottai. – E non chiamarmi Capo!
Lei saltellò fino alla mia scrivania accennando una mossa di RAP con la coda.
Notai che (come sempre) portava sottobraccio la sua agendona color fragola, foderata in pelliccia di gatto sintetica.

– CAPO, CAPO, CAPO! Ho avuto un'idea geniale (solo a me poteva venire), vuoi che te la dica, Capo? Eh? La vuoi sentire? CAPOOOOOOOOOOOOO!

– Non possiamo parlarne dopo? Sto lavorando – replicai spazientito.

– Capo, è urgente, urgentissimo!

– *Squit!* – sbuffai. – Ti prego, non strillare, non ho le orecchie *foderate di formaggio*!

– Capo, ho avuto un'idea... – proseguì lei in tono da cospiratrice. – Un'idea esplosiva!!! – gridò poi, perforandomi il timpano destro.

Trasalii, sobbalzai sulla sedia e caddi all'indietro, trascinando nella caduta una pila di fatture e di contratti.

– Allora, parla, che c'è? – strillai esasperato, raccogliendo i fogli sparpagliati per terra.

– Capo, dobbiamo assolutamente partecipare

alla Fiera del Libro di Topoforte! Dobbiamo aggiornarci sulle TENDENZE: i colori, la grafica, i titoli, le copertine...

Incontreremo tutti gli editori che contano, mi ascolti, CAAAAAAAPOOOOOOOO?
Io sbuffai.
– Ho capito, è interessante, ma io non ho tempo di occuparmene!
– Non preoccuparti, CAPO, ci penso io a organizzare tutto, CAPO! – sogghignò Pinky, sgattaiolando ratta come un sorcio fuori dal mio ufficio.
Con la coda dell'occhio notai che sfogliava soddisfatta l'agendona color fragola.
Poi la udii squittire sottovoce nel cellulare.
Adesso bisbigliava, eh?
Per mille provole, perché Pinky strillava solo con me?
Ripresi a lavorare, sempre più stanco.
I conti, ahimè, non quadravano.
Non quadravano!

Lavorai tutta notte.
Così finii con l'addormentarmi stravolto
dalla stanchezza, con il muso sulla scrivania.

PERCHÉ, PERCHÉ, PERCHÉ?

Mi svegliai di SOPRASSALTO.

Qualcuno mi stava strillando nelle orecchie.

– Svegliaaa! Si parte!

– Sveglia? Quale sveglia? Chi parte? – domandai, intontito.

Pinky mi strizzò l'occhio: – *Noi* partiamo, Capo. Contento?

– Eh? Partire? Perché? – chiesi, perplesso.

– Dai, Capo, sei pronto? Ho già chiamato il taxi! – disse severa, indicando l'orologio.

– Non sono pronto! Non so neanche dove dovrei andare! – urlai esasperato.

– Capo, lo sai benissimo dove andiamo. A

Svegliaaa!

Topoforte! – ribatté lei, tranquilla, lisciandosi le orecchie. Poi mi sventolò sotto il muso dei biglietti aerei per Topoforte a nostro nome: aveva già organizzato tutto.

Mi veniva da piangere.

Perché, perché, perché l'ho assunta?

P.S. Pinky Pick ha quattordici anni, adora navigare su Internet, ha un sacco di amici, sa tutto sulle tendenze, da grande vuole fare la VJ! Se volete saperne di più, la sua storia è raccontata nel libro 'Il mio nome è Stilton, Geronimo Stilton!'.

FIDATI, CAPO!

– Io non parto! Devo assolutamente finire di controllare i conti! – ribattei, deciso.
Pinky consultò l'agendona color fragola.
– CAPO, ho già escogitato una soluzione (sono proprio brava, eh?). Ho trovato un CFG (*CONSULENTE FINANZIARIO GLOBALE*). È un tipo, *cioè un topo,* che ci sa fare, CAPO.
Io riflettei. – Ehm, CONSULENTE FINANZIARIO? GLOBALE? Sì, forse è una buona idea... ci penserà lui a consegnare il bilancio? Posso fidarmi?
Pinky fece un sorrisino di compatimento.
– Certo. Sa fare di tutto, altrimenti perché si chiamerebbe GLOBALE? Fidati, CAPO.

– Quanto mi costerà? – chiesi insospettito.

Lei strizzò l'occhio, con aria furbetta. – Ti farà un prezzo GLOBALE, CAPO!

Prima che potessi replicare, con uno sgambetto mi fece ruzzolare in un pulmino scalcagnato che attendeva davanti alla porta.

– Oplà! Si parte! – concluse.

Nel pulmino regnava un disordine tremendo. Libri impolverati, fogli scribacchiati in una calligrafia incomprensibile, appunti appiccicati qua e là, e un forte odore di caffè...

CON QUALE ZAMPA?

Il pulmino ripartì in **SGOMMATA** e imboccò l'autostrada a tutta velocità.

– Ma questo non è un taxi! – protestai.

Lo strano tipo al volante si girò a salutarmi.

– Il mio nome è Van Ratten, Topìa Van Ratten! – dichiarò con un vocione profondo, porgendomi con cordialità una **ZAMPONA PELOSA**. Poi (non si sa da dove) tirò fuori un rotolo di pergamena.

– Lei è Stilton, l'editore? Ho qui un **antico** manoscritto che le interesserà, visto che lei si occupa di *Cultura* – urlò, porgendomi il rotolo con la destra.

Nella mia mente si fece strada un pensiero agghiacciante. Il calcolo fu rapidissimo: con la destra mi porgeva il rotolo, con la sinistra mi stringeva la zampa... dico, con quale zampa teneva il volante??? E per di più, stava guardando me, non la strada!!!

– La prego, pensi a guidare! – strillai, disperato. Lui si girò e riacchiappò il volante appena

in tempo per scansare un camion con rimorchio. Come se non fosse successo niente squittì, rosicchiando un cioccolatino al caffè: – ... caro Stilton, conosco la sua produzione editoriale, è scarsina dal punto di vista *Culturale,* ma che ne direbbe di rimpolparla, io avrei già delle idee, per esempio questo manoscritto...

– Ma chi è questo pazzoide? – chiesi sottovoce a Pinky.

Lei rispose orgogliosa: – Mio zio! Ho avuto un'idea supergeniale: che ne dici di lui come CC, cioè CONSULENTE CULTURALE?

TOPIA VAN RATTEN

È PROPRIO STILTON!

Topìa incominciò a frugare nelle tasche alla ricerca del suo biglietto aereo, poi esclamò:
– *POFFARGATTO!*

Socchiuse gli occhi e grattandosi nervosamente la testa gridò: – Mi cascassero i baffi, non so più dove ho messo il mio biglietto!

Il pulmino sbandò pericolosamente.

il pulmino sbandò pericolosamente.

– ATTENTOOO! – strillai, terrorizzato.

Mi lanciai per afferrare il volante, ma Topìa con un balzo fulmineo lo riacchiappò al volo.

– Tranquillo, tranquillo, Stilton – mi rassicurò. – Eccolo qui, ho trovato il biglietto, finalmente. Non si agiti così!

Lo udii sussurrare a Pinky: – Ma com'è nervoso il tuo capo!

Poi continuò **ALLEGRO**: – L'aereo parte tra un paio d'ore: abbiamo tutto il tempo di arrivare, sgranocchiare qualcosa, farci un cafferino; lei niente caffè, Stilton, è troppo nervoso...

Pinky sbirciò il suo orologio verde fluorescente, prese i biglietti aerei, guardò di nuovo l'orologio e cacciò uno strillo: – Zio Topìa, ma l'aereo parte tra mezz'ora!!!

Lui sollevò entrambe le zampe dal volante, con la sinistra fece un gesto per chiedere silenzio, con la destra si diede una pacca sulla fronte: – Ho capito! Adesso non sono le 15 E 12, ma le 16 E 12. Non ho messo a posto l'orologio sull'ora legale!

Io impallidii: ma perché non teneva le zampe sul volante? – Pensi a guidare, la prego!

Poi precisai: – Comunque, l'ora legale è cambiata quattro mesi fa!

Lui ululò: – Poffargatto! Aaaah, come vola il tempo! Ma adesso ci penso io. Niente paura!

Mi ci gioco la pelliccia che non perdiamo l'aereo...

Appoggiò la zampa a tavoletta sull'acceleratore e il pulmino scattò avanti ruggendo, con un balzo felino.

– *Squiiit!* – implorai. – Voglio scendere!

Pinky mi rassicurò: – Tutto sotto controllo, CAPO! – poi schiacciò il pulsante del cronometro che porta sempre appeso al collo.
Topìa intanto zigzagava a velocità folle tra una corsia e l'altra, cantando col suo vocione da basso un'aria lirica.

Topia intanto zigzagava a velocità folle tra una corsia e l'altra, cantando col suo vocione da basso un'aria lirica.

– Vin-ce-rò... vin-ce-rò... Vinceròòò...

Pinky tamburellava con le zampette sul cruscotto e intanto canticchiava ispirata: – Porompompom... porompompom... porompompom...
Otto minuti dopo eravamo arrivati.
Otto, dico! Otto!
Al parcheggio, Topìa adocchiò un tale che stava per parcheggiare e gridò: – Lo sa che ha una gomma sgonfia?
L'altro, perplesso, si sporse dal finestrino per

Arrivati al check-in, Topìa gridò: – C'è qui un **VIP**, l'editore Stilton! E noi siamo con lui!
Poi passò davanti a tutti. Io tentai di fermarlo: troppo tardi!
Qualcuno protestò: – **C'è un furbastro che non vuole fare la coda come gli altri!**

– Davvero? Ma chi è?

– Guarda guarda guarda: è Stilton, Geronimo Stilton!

– Chi l'avrebbe mai detto: sembrava un roditore così per bene, *un intellettuale...*

– E invece, guarda che maleducato!

– Che comportamento ignobile!

– Davvero, dovrebbe proprio vergognarsi il dottor Stilton!

– E con che tipi bizzarri va in giro!

Notai tra la folla un fotografo della *Gazzetta del Ratto,* il giornale concorrente dell'*Eco del Roditore.* Lui si leccò i baffi per l'occasione ghiotta, e si affrettò a scattare foto a raffica.
Mi immaginavo già i titoli del giorno dopo in prima pagina:

EDITORE MALEDUCATO FA UNA FIGURACCIA ALL'AEROPORTO!

Poiché si levavano sempre più forti dei mormorii di protesta, Topìa rapido requisì la stampella a un tipo, *cioè un topo,* col gesso e me la infilò sotto l'ascella.
– L'editore Stilton è praticamente invalido! E soffre, **soffre molto!** – disse, tirandomi un calcio negli stinchi che mi strappò un urlo.
– Sentito come si lamenta? – commentò lui.
Afferrò le nostre carte d'imbarco e mi trascinò via su un carrello, stampella e tutto, dopo aver acchiappato al volo una tazza di caffè al bar.

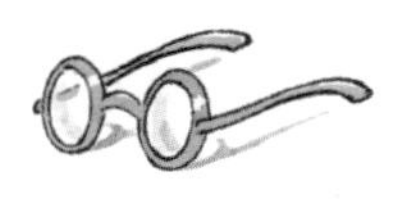

Con un muso così...

In quel momento udii gridare: – **Fermo! Ti abbiamo preso, finalmente!**

Un poliziotto fermò Topìa, indicando una foto segnaletica: – Con un muso da delinquente così, speravi di farla franca?

Poi mi apostrofò severo: – Lei conosce questo tipo, *cioè questo topo?*

– Ma, io, sì, anzi no, forse, in un certo senso, ehm... – balbettai incerto.

Topìa fu portato via sotto scorta.

E noi con lui. Il fotografo della *Gazzetta del Ratto* ne approfittò per scattare altre foto.

Immaginavo il titolo:

SCANDALO A TOPAZIA!!! L'EDITORE STILTON ARRESTATO ALL'AEROPORTO PERCHÉ COMPLICE DI UN PERICOLOSO TERRORISTA!

Molte ore dopo (naturalmente perdemmo l'aereo) la polizia capì che Topìa era la copia carbone di un pericoloso terrorista, ricercato da anni. Finalmente riuscimmo a partire.

Io comunque ero stravolto, perché:

a) *dovetti riparare gli occhiali col nastro adesivo* (Topìa ci si era seduto sopra);

b) *fui costretto a lavare e asciugare col phon il mio biglietto* (Topìa ci aveva rovesciato sopra una tazza di caffè);

c) *finii in infermeria* (Topìa mi aveva schiacciato la coda in una porta scorrevole);

d) *la mia valigia andò persa* (Topìa l'aveva consegnata al banco sbagliato).

Cultura CON LA *C* MAIUSCOLA

Pinky chiuse gli occhi appena l'aereo DECOLLÒ e iniziò a russare.

Topìa invece attaccò a chiacchierare, sorseggiando un **triplo caffè freddo**.

– Capisce, caro Stilton, io credo molto,

MOOOLTO nella *Cultura,* quella con la *C* maiuscola però, non quelle schifezze che si leggono sui giornali, per esempio su quel giornalaccio, come si chiama, l'*Eco del Roditore,* ah, davvero, lo pubblica lei? Complimenti, dove trova il coraggio di pubblicare scempiaggini di quel genere, com'è che non è

ancora fallito, *ha haa haaa,* ma del resto forse è proprio questo che la gente cerca, scem-piag-gi-ni, non la *Cultura* con la *C* maiuscola, ma non si preoccupi, ci penso io a spiegarle che cosa deve pubblicare, per esempio quel manoscritto di cui le parlavo...

Topìa chiacchierò tutto il tempo, sventolandomi sotto il muso quel misterioso manoscritto e sorseggiando un caffè dopo l'altro.

All'arrivo io ero stravolto, avevo un'aria stralunata e gli occhi sbarrati. Lui invece sembrava perfettamente riposato.

Si stiracchiò: – Stilton, che ne direbbe di una porzioncina di fonduta all'aglio? Un piattino robusto, per tirarci su il morale?

Io avevo la nausea solo a pensarci. Erano le otto del mattino! Lui si fermò al chioschetto e ingurgitando cucchiaiate di fonduta bollente **mugolò:** – Aaah, che delizia! Questa sì che è *Fonduta* con la *F* maiuscola!

Pinky invece si accontentò di un top-dog gigante alla paprica e di un superfrullato di gorgonzola triplo al peperoncino.

Come si assomigliavano!

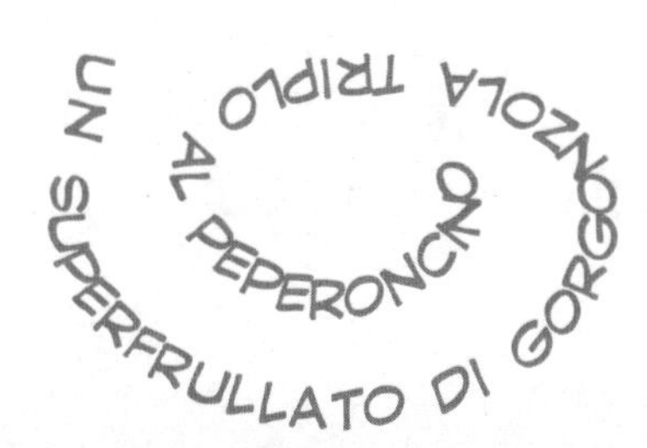

QUESTA SÌ CHE È VITA!

Il taxi si fermò davanti al *Topitz*, l'albergo più LUSSUOSO della città.

Un portiere dall'aria snob squittì: – Il Dottor Stilton? Le lussuose *Suite* che ha prenotato sono già pronte!

Perplesso, mi rivolsi a Pinky per chiederle spiegazioni... ma in quel momento arrivò il direttore, un topo sofisticato con l'*erre* moscia, un certo **Reblochon de Roquefort**.

– *Enchanté,* sono ono*v*ato che abbia scelto il nost*v*o albe*v*go! P*v*ego, seguitemi...

Ci accompagnò a una porta dall'aria lussuosa: sulla targhetta c'era scritto *Suite Reale*.

Il Topitz era l'albergo più lussuoso della città...

Prima che potessi protestare lui aveva già spalancato la porta, annunciando in tono solenne:
– La stanza di *Mademoiselle* Pinky! Era un immenso salone con finestroni gotici e colonne di marmo qua e là. – *Voilà*: il bagno con minipiscina, il letto con steveo incovpovato e sopvattutto la supev-megastazione di videogiochi con supev-schevmo gigante a pavete, che Mademoiselle ha vichiesto!
– Wow! – esclamò Pinky felice.
IO SUDAVO FREDDO. Quanto mi sarebbe costato tutto ciò? Volevo dire qualcosa (non so esattamente cosa) ma già Reblochon ci accompagnava verso un'altra porta: questa volta sulla targhetta c'era scritto *Suite Imperiale!*
Pinky mi strizzò l'occhio. – So che tu pretendi sempre e solo il meglio, capo! – squittì.
Il direttore la guardò con simpatia. – Che cava

– La stanza di Mademoiselle Pinky!

*v*agazzina, come si vede che la ammi*v*a, che lavo*v*a volentie*v*i pe*v* lei... *Et voilà!*

La porta si spalancò su un salone ancora più grande, con un soffitto a volta affrescato.

– Ehm, qui ci dormo io? – chiesi incredulo.

– No, ci dormiamo **NOI!** – mi corresse Topìa.

– **NOI?** – squittii, allibito.

Topìa mi batté familiarmente una zampa sulla spalla.

– Vede, caro Stilton, questa sarebbe la mia stanza. Per lei Pinky aveva richiesto la *Suite Mega-Galattica*, ancora più prestigiosa, ma purtroppo è occupata! Per cui, carissimo, la ospito nella mia suite. Apprezza il mio gesto, Stilton? Guardi che per me è un sacrificio, sa?

Reblochon commentò: – Ah, che gene*v*osità!

Io ero completamente spiazzato.

Tentai di svicolare: – Ehm, grazie, sono onorato, ma non ci sarebbe una singola per me...
Topìa si offese: – Le offro la mia stanza e lei rifiuta? Puzzo, forse? Eh? PUZZO?
– Ma no, certo che non puzza! – mi affrettai a rispondere.
Topìa mi spinse dentro la suite e squittì a Pinky: – Ci vediamo dopo!
Chiuse la porta, prese la rincorsa e saltò sul letto ululando:
– Questa sì che è *Vita* con la *V* maiuscola!

Wow! Wow! Wow!

Topìa era un compagno di stanza TREMENDO. Dimenticava sempre aperto il rubinetto della vasca: dovevo tenerglielo d'occhio io, per evitare inondazioni. Inoltre, dormiva non più di tre-quattro ore per notte. Certo: sbevazzava caffè in continuazione! Si era persino fatto portare in camera una macchina per l'espresso! Ogni quarto d'ora al massimo squittiva:

– Quasi quasi mi faccio un cafferino!

Ingurgitava l'espresso bollente in un solo sorso, così, come se avesse lo stomaco foderato di amianto.

E per di più russava, ah, come RUSSAVA.

Passai una notte tremenda. La mattina dopo mi alzai completamente sconvolto. Ma poiché sono un tipo, *cioè un topo,* puntuale, alle otto precise ero nella hall, pronto a partire per la Fiera del Libro; Topìa ci avrebbe raggiunti più tardi. Pinky salì con me sul taxi e mormorò qualcosa all'orecchio del tassista. Quello partì sgommando. Io mi rilassai, pensando ai fatti miei: agli appuntamenti che mi aspettavano, ai clienti con cui parlare d'affari... Dopo dieci minuti circa, il taxi inchiodò di colpo davanti a un cartello con la scritta: Wow! Wow! Wow!

Pinky saltò giù dal taxi.

– Dove vai? – chiesi, stupito.

– Ad aggiornarmi, capo! – gridò lei, correndo a zampe levate verso la biglietteria.

Io ero allibito. – Cosa cosa cosa? – chiesi,

... un cartello con la scritta Wow! Wow! Wow!

rincorrendola. Un passante mi spiegò che quello era il **parco di divertimenti** più famoso della città.

Avevo quasi raggiunto Pinky quando lei entrò decisa nella prima attrazione, il Frullatopo del Formaggiopazzo.

Notai che vicino all'ingresso stazionava un'ambulanza. Stavo per chiedermi perché, quando vidi Pinky che saliva su un vagoncino a forma di tazza. La seguii, gridando: – Pinky, aspetta! – Ma una frotta di ragazzini urlanti mi travolse, inciampai e finii nella tazza successiva.

Lei si voltò, mi vide e fece un cenno di ok col pollice alzato. In quel momento le tazze entrarono in una galleria più buia della bocca di un gatto,

Mentre le tazze salivano e scendevano ruotavano anche su se stesse a velocità vorticosa, prima in senso orario, poi antiorario…

mentre un altoparlante diffondeva questa tremenda canzoncina (certo scritta da un sadico): – *Pazzo pazzo pazzo, ora ti frullo a razzo, hai fatto male a entrare, ma chi te l'ha fatto fare?*

Iniziò il finimondo. Mentre le tazze salivano e scendevano, nel buio più completo, ruotavano anche su se stesse a velocità vorticosa, prima in senso orario, poi antiorario, frullando a razzo gli incauti roditori (come me) che avevano osato entrare.
La canzoncina continuava: – *Ti meriti che ti frullo, sei proprio un citrullo!*
Io avevo lo stomaco rivoltato come un calzino. Finalmente ritornammo all'aperto.
All'uscita l'infermiere della Croce Gialla rianimò i roditori svenuti, agitando loro sotto il muso una briciola di grana stagionato.
Scesi pallido come una mozzarella. Vidi con orrore che Pinky correva verso un'altra attrazione, LA TANA DEL GATTO FANTASMA!

La tana del Gatto Fantasma

In quel momento udii una voce alle mie spalle: – Stilton! Anche lei qui?
Mi voltai: era Epifanio Topicchi, un editore specializzato in libri per ragazzi.
– Ehm, buondì, Topicchi! Anche lei alla Fiera del Libro? – lo salutai.
Notai che teneva per la zampa un topolino di circa cinque anni.
– Ho accompagnato il mio nipotino – spiegò lui – sembra che **LA TANA DEL GATTO FANTASMA** sia un'esperienza interessante. Da non perdere assolutamente! Entra anche lei, Stilton, vero?

Era Epifanio Topicchi, con il suo nipotino...

– EHM, credo che aspetterò fuori – mormorai. Pinky, che aveva fiutato la situazione, si intromise come al solito.
– Sono Pinky Pick, la collaboratrice editoriale del dottor Stilton. Gli stavo dicendo che deve assolutamente provare questa nuovissima attrazione, che fa tendenza, capisce...
Lui approvò convinto.
– Brava, brava, è così che si fa, bisogna aggiornarsi continuamente, capire che cosa piace ai giovani! Ma sa che è molto fortunato, Stilton, ad avere una collaboratrice così intelligente? Beato lei! Adesso entriamo, non vedo l'ora! Dicono che sia un'esperienza assolutamente TERRIFICANTE...
Tutti insieme ci avviammo verso l'ingresso.
Io mi sentivo mancare...
Scivolai verso una poltroncina di pelliccia di

gatto sintetica e mi ci lasciai cadere, DISPERATO.
Inorridii: al posto della barra di sicurezza, due zampe di felino si richiusero ad artiglio intorno a me!
Il vagoncino entrò in una galleria buia.
Di colpo, uno scheletro di gatto mi ballonzolò davanti al muso.

Un altoparlante mi assordò con un miagolio registrato perforatimpani.

Poi, mi ritrovai di fronte un ologramma di gatto così realistico che mi tremavano i baffi per la paura...

Un artiglio d'acciaio che penzolava dal soffitto mi sfiorò le orecchie, strappandomi gli occhiali dal muso.

Di colpo un' **ombra felina** si allungò sul muro davanti a noi, come se un gatto mostruoso ci stesse inseguendo. Io urlai: – *Squiiit!*

Pinky spiegò: – Tranquillo, capo, è solo un'illusione ottica!

Poi ci piovve addosso uno spruzzo di liquido

giallastro. Io gridai disgustato: – Che cos'è, *pipì di gatto?*

– Ma no – mi spiegò il nipotino di Epifanio in tono di superiorità – è solo acqua colorata, non vedi?

Uscii da **LA TANA DEL GATTO FANTASMA** completamente sconvolto.

– Non sapevo, Stilton, che lei fosse un tipo, *cioè un topo,* così impressionabile – disse Epifanio, scuotendo la testa.

Capii di aver fatto una figuraccia.

AH, COME AMO I LIBRI!

Finalmente riuscii a convincere Pinky a uscire dal parco dei divertimenti e ci avviammo verso la Fiera del Libro.

Correndo come un pazzo mi diressi affannato verso lo stand: *squit*, mi restava solo una giornata per sistemare i miei affari!

Quando arrivai, trovai Topìa seduto alla mia scrivania. Notai che aveva rovesciato una tazza di caffè sulla mia agenda!

– Sono venuti degli editori

stranieri a cercarla, dicevano di avere un appuntamento. Io ho risposto che lei di sicuro aveva di meglio da fare. Non ho capito bene cosa hanno risposto, ma secondo me erano insulti... hanno anche stracciato un contratto, eccolo!

Io raccolsi i pezzi del contratto e mi morsi la coda per la **RABBIA**.

– Per concludere questo contratto di coedizione avevo lavorato un anno!

Lui continuò: – Poi è venuto qui un autore con un libro da proporle; ma io ho detto che certo non le interessava, che da ora in poi anziché robaccia come quella, pubblicheremo solo *Cultura* con la *C* maiuscola. Vedesse come si è arrabbiato...

Mi strappai i baffi dalla disperazione.

– Quello era MEFISTOFELE GRÜNTZ! Un autore suscettibile, che avevo appena convinto a collaborare con la casa editrice Stilton...

Topìa si lisciò i baffoni con noncuranza: – Poi... poi è passata Moviola Codaricciola, una giornalista di TopTV.

– Che cosa le ha detto?

– CHIESI, SULL'ORLO DI UNA CRISI DI NERVI.

– Ah, sapesse! Anche a lei ho detto che pubblicheremo solo libri *Culturali* con la *C* maiuscola, per esempio *Epistemologia arcaica di omonimia topologica randomizzata* o anche *Toponomastica logaritmica della derattizzazione metafisica* per non parlare di *Critica della ragion topica.*

– E che cosa ha risposto Moviola? – chiesi tremando.

Lui sbuffò: – Poffargatto! Si è addormentata a metà intervista. Ha detto che ripasserà al nostro stand solo quando soffrirà di insonnia. Che ignorante! Pensare che per tenerla sveglia le avevo anche offerto un caffè, di tasca mia, poffargatto!

RONF! RONF! RONF!

Mi accasciai: – Complimenti, lei è riuscito a rovinarmi... così, in poche ore...

Pinky mi sventolava un catalogo davanti al muso. – Capo, che fai, svieni?

In quel momento si avvicinò un importante agente letterario. Indicò un libro scritto da me, *Il mistero dell'occhio di smeraldo.*

Iniziai a raccontargli la trama: – Tutto iniziò quando mia sorella Tea trovò una bizzarra mappa del tesoro. Io, Tea, mio cugino Trappola

Attraversai padiglioni affollatissimi...

e il mio nipotino Benjamin decidemmo di partire alla ricerca del tesoro, a bordo di un brigantino...
L'agente era entusiasta del libro:
– **È proprio una bella storia.**
Vorrei sapere se i diritti editoriali sono liberi per l'estero...
Topìa glielo strappò di mano: – Questa non è *Cultura* con la *C* maiuscola! Lasci perdere, dia retta a me!
Io tentai di zittirlo, ma il danno era fatto.
L'agente se ne andò scuotendo la testa, come se fossimo fuori di zucca.
Guardai l'orologio: per mille mozzarelle, ero in ritardo!!!
Corsi verso il salone dove si teneva un importante congresso sull'editoria a cui ero stato invitato.

Attraversai i padiglioni affollatissimi dove editori, autori, illustratori, agenti letterari e stampatori discutevano di affari. Intanto ne approfittavo per sbirciare le novità esposte sugli scaffali.

Ah, come amo i libri!

Mi piace leggerli, sfogliarli, annusarli: io adoro l'odore dell'inchiostro fresco, della carta appena stampata!

Che bello il mestiere dell'editore! Non lo cambierei per nulla al mondo!

Arrivai al congresso: salii sul palco e tenni un breve discorso.

Tutti applaudirono cortesemente.

clap clap clap

Poi chiesi: – C'è qualche domanda?

Dal fondo del salone qualcuno urlò: – Dica un po', ma perché oggi nell'editoria nessuno fa *Cultura* con la *C* maiuscola?

Era una voce familiare... era proprio lui, Topìa!
Tutti si aspettavano che rispondessi cortesemente alla domanda.
Perciò immaginatevi le reazioni quando io urlai esasperato: – Basta! Non me ne importa un baffo della *Cultura* con la *C* maiuscola!
Il pubblico **RUMOREGGIÒ.**
Gli altri editori mi guardarono allibiti.
Udii sussurrare: – Questa è l'ultima volta che lo invitiamo!
– Che figuraccia, che brutta figura ha fatto Stilton...

IL MANOSCRITTO DI NOSTRATOPUS

Tornai allo stand **FURENTE**.

Ah, gliene avrei dette quattro, al SIGNOR-TOPO-INTELLETTUALE-SO-TUTTO-IO...

Appoggiai a terra la mia borsa, che urtò quella di Topìa. Ne scivolò fuori un rotolo di pergamena sbiadita dal tempo, che recava un sigillo in ceralacca gialla con l'impronta di una fetta di formaggio. Il foglio si srotolò scricchiolando: era l'antico manoscritto cui accennava continuamente Topìa. Poiché io

sono un tipo, *cioè un topo,* molto discreto, rimisi immediatamente la pergamena al suo posto, ma non potei evitare di leggere almeno le prime parole:

PROFEZIE DELL'ECCELLENTISSIMO ET ILLUSTRISSIMO ET CLARISSIMO RODITOR NOSTRATOPUS, SOMMO MAESTRO, MAGO DELLE PROFEZIE...

Nostratopus?
Mago delle Profezie?
Il mio fiuto di editore mi segnalava un bestseller, anzi, un *topseller*: dovevo assolutamente saperne di più su quel manoscritto.
Proprio allora Topìa arrivò allo stand, leccando un gelato al caffè, e io decisi di fare finta di niente.

– Ehm, buongiorno, Topìa! – squittii, cercando di sembrare cordiale.

– Umpf – borbottò lui, seccato.

– Ehm, dov'è quel manoscritto di cui mi parlava? Mi interesserebbe vederlo... – chiesi, fingendo indifferenza.

– Umpf, Umpf...

– Magari potrebbe interessarmi pubblicarlo...

Le zampe mi prudevano dal desiderio di esaminare il rotolo ma non volevo farglielo capire!

– Poffargatto, a lei della *Cultura* con la *C* maiuscola non gliene importa un baffo – rinfacciò Topìa, ironico.

Io feci finta di non aver sentito.

Continuai con noncuranza: – Eppure gli darei volentieri un'occhiatina...

– Vuole proprio saperlo? È un rarissimo manoscritto di Nostratopus, il Mago delle

Profezie, ma l'ho appena proposto a Sally Rasmaussen!

Io mi sentii fremere i baffi.

Sally Rasmaussen? L'editore della *Gazzetta del Ratto*? La mia **NEMICA** numero uno, che da vent'anni attaccava l'*Eco del Roditore* con ogni mezzo lecito e illecito? Decisi che Sally non avrebbe mai avuto il manoscritto.

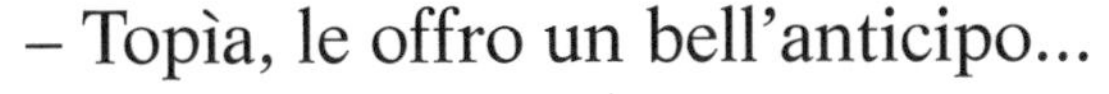

– Topìa, le offro un bell'anticipo...

– Anche Sally ha detto così. Ha detto che mi pagherà un anticipo su centomila copie!

Ebbi un attimo di indecisione.

Centomila copie?

Ma ne valeva davvero la pena?

Lui, furbo, capì al volo che avevo dei dubbi, e per convincermi afferrò il manoscritto e iniziò a declamare in TONO DRAMMATICO:

Profezie del Mago Nostratopus

PROFEZIE DELL'ECCELLENTISSIMO
ET ILLUSTRISSIMO ET CLARISSIMO RODITOR
NOSTRATOPUS, SOMMO MAESTRO,
MAGO DELLE PROFEZIE, CHE QUIVI PREVEDE
EVENTI PER MILLE ET MILLE ANNI A VENIRE,
NONCHÉ RIVELA QUANDO, IN QUALO MODO
ET PEROCCHÉ AVRÀ FINE LO MONDO INTERO...
CODESTE MISTERIOSE PROFEZIE
SONO RACCOLTE ET SCRITTE NE LO ANNO 1558
DA TOPÌAS VAN RATTEN, HUMILISSIMO,
DEFERENTISSIMO ET DEVOTISSIMO SCRIVANO
DE LO SOMMO NOSTRATOPUS...

Topìa mi strizzò l'occhio: – Poffargatto, Nostratopus ha previsto perfino la Data della Fine del Mondo! Ma non è tutto... Leggerò altre quartine a caso, giusto per darle un'idea di quanto sia interessante questo manoscritto:

Eclissi in cielo e terremoto in terra
annunceranno una lunga Guerra:
Felini invasori scenderanno
e il Principato di Topazia invaderanno...

Topìa si interruppe, con un sorriso ironico.
– Interessante, vero? La quartina prevede (con secoli di anticipo) l'Invasione dei Gatti del 1702, che infatti è durata ben cinquant'anni ed è coincisa con un'eclissi e un terremoto.
Ma Nostratopus – continuò – ha nascosto abilmente il vero significato delle profezie,

così spesso le si comprende solo dopo che i fatti si sono verificati. Molte quartine sono ancora senza spiegazione, queste ad esempio:

GUAI A CHI IL MAGO
OSERÀ SFIDARE,
GIACCHÉ PER IL SUO ARDIRE
DOVRÀ PAGARE!

SE OTUBAR IL MANOSCRITTO SARÀ,
NESSUN ERIDOTE MAI PIÙ LO ARCHEIBBLUP.
FUOCO TRA LA TRACA DI ALYLS DIVAMPERÀ
E RE GIMONO CELEBRE DIVENTERÀ.

Mi batteva forte il cuore.
Quel libro valeva un tesoro!

Dovevo aggiudicarmelo a qualsiasi costo!

Così fermai Topìa con un gesto della zampa:
– Offro un anticipo su duecentomila copie!

Lui rilanciò: – Sally ha detto che mi pagherebbe il 10% come diritti d'autore...

– Ehm, caro Topìa, le offro l'11% anzi, voglio rovinarmi, il 12% come diritti d'autore!

Lui era soddisfatto.

– Guardi, non lo faccio per i soldi, ma perché i suoi libri hanno un livello culturale così basso che lei ha assolutamente bisogno di un po' di *Cultura* con la *C* maiuscola...

Gli strinsi la zampa: – Allora, parola di gentiltopo?

– AFFARE FATTO! – rispose lui.

MA QUAL È LA DATA?

Io ero proprio **soddisfatto**.

Questa volta avevo vinto io!

Sally Rasmaussen non avrebbe mai messo le zampe sul manoscritto di Nostratopus!

Immaginavo già la tiratura record che avrei pubblicato.

Avrei sicuramente scelto una bella copertina in **seta viola**, magari con decorazioni in oro zecchino. Avrei stampato il testo su pregiati fogli in pergamena autentica...

E il titolo del libro?

Ma certo: l'avrei intitolato *Il misterioso manoscritto di Nostratopus.*

Immaginavo già un bel carattere gotico, per creare un'atmosfera magica, inquietante...

Il misterioso manoscritto di Nostratopus

Vedevo i titoloni sui giornali:
FINALMENTE SVELATI I SEGRETI DEL MAGO DELLE PROFEZIE, NEL BESTSELLER PUBBLICATO DALLA CASA EDITRICE DI GERONIMO STILTON!
A proposito, mi chiesi, chissà qual era la Data della Fine del Mondo?
Mentre riflettevo, notai distrattamente un *FLASH:* qualcuno ci stava fotografando!

Soldi CON LA SMAIUSCOLA

Topìa intanto chiacchierava a ruota libera, sorseggiando un espresso: – Capisce, caro Stilton, questo manoscritto era nella nostra famiglia da generazioni, ma sono io che l'ho ritrovato: era nascosto in un cassetto SEGRETO della scrivania del mio bisnonno. Il Mago Nostratopus lasciò in eredità il manoscritto al suo scrivano, Topìas Van Ratten (mio antenato), che l'ha scritto sotto la sua dettatura... Lui, Nostratopus, aveva già previsto tutto: l'incoronazione, nel 1752, del sovrano *Granarolius IV*, che riunì tutti i roditori di Topazia sotto un'unica bandiera... l'invasione nel 1702 del feroce imperatore felino ARTIGLIATULO III... Nostratopus aveva previsto anche l'ERUZIONE VULCANICA che distrusse in un solo giorno la città di Rodenzia (come certo ricorderà, ebbe luogo nel 1799)... Nostratopus aveva previsto anche quello che sarebbe successo secoli dopo, persino la DATA DELLA FINE DEL MONDO!

Io rabbrividii. – Ehm, a proposito, qual è la Data della Fine del Mondo?

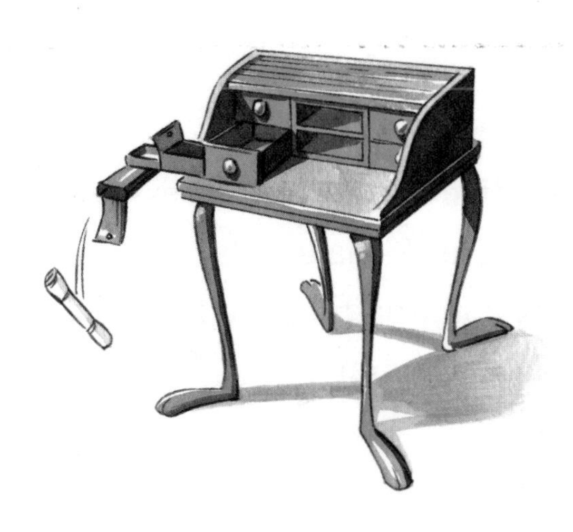

Topìa ridacchiò. – HA, le interessa, eh? Interessa a tutti, Stilton! Potrebbe essere domani, dopodomani, o fra tremila anni...
Io morivo dalla voglia di afferrare il manoscritto e leggere la Data.
Lui mi osservò a occhi socchiusi. – La Data la sapevano solo Nostratopus, il mio antenato Topìas Van Ratten... e ora la so io, che ho letto il manoscritto! La Data la sapranno i lettori che leggeranno il libro, dopo averlo pagato... **e l'editore, dopo che mi avrà pagato l'anticipo!**
Io ero indignato.
– Ma non diceva che le interessava solo la *Cultura* con la *C* maiuscola?
Lui ribatté, con aria furba: – La *Cultura* con la *C* maiuscola merita i *Soldi* con la *S* maiuscola!

AL FUOCO, AL FUOCO!

In quel momento udii gridare: – **AL FUOCO, AL FUOCO!** Tutti corsero verso le uscite di sicurezza, Topìa per primo. Si udirono le sirene dei pompieri, e dall'alto piovvero getti d'acqua provenienti dagli impianti antincendio. Trascorse almeno mezz'ora, poi l'altoparlante annunciò che era un falso allarme, e i corridoi della Fiera tornarono a riempirsi di roditori che com-

mentavano curiosi l'accaduto. Arrivato allo stand, un pensiero mi colpì FULMINEO: e il manoscritto?
– IL MANOSCRITTO! – squittii, ansioso.
– Dove l'ha messo, Topìa? Dove l'ha messo?
Lui impallidì. – Poffargatto, era qui, appoggiato sulla scrivania, quando ce ne siamo andati, ma è successo tutto così in fretta...
Cominciai a rovistare dappertutto. – Nel cassetto non c'è. Qui neanche. Sembra essere SPARITO!
Lui ululò, con aria tragica (tanto che tutti, negli stand attorno, si girarono a guardarci): – Poffargatto, è sparito! Il manoscritto è stato rubato! Vado a farmi un caffè triplo, per tirarmi su.
Io riflettevo: che in tutto ciò ci fosse lo zampino di Sally Rasmaussen?

... che ci fosse lo zampino di Sally Rasmaussen?

CIOCCOLATINI AL FORMAGGIO

In quel momento arrivò anche Pinky, che aveva sentito l'ululato di Topìa fin dall'altra parte del salone.

Le raccontai cos'era successo. Lei mi rassicurò: – CAPO, lascia fare a me!

Prese dallo zainetto una lente di ingrandimento ed esaminò il pavimento dello stand.

Io intanto le spiegavo che qualcuno aveva fotografato me e Topìa mentre parlavamo del manoscritto.

Improvvisamente Pinky lanciò un acuto squittio di soddisfazione e mi mostrò una cartina

dorata. – È una carta di cioccolatino al formaggio! – esclamò annusandola. – Della marca Mon Topy!
Poi andò a esaminare il corridoio davanti allo stand. La vidi curva per terra: forse aveva trovato una traccia? Girò dietro l'angolo, poi tornò trionfante, reggendo una manciata di cartine dorate. – Ecco, capo: qualcuno si era appostato dietro l'angolo a spiarvi, rosicchiando cioccolatini. Dev'essere un tipo, *cioè un topo,* molto GOLOSO quello che ha rubato il manoscritto! A proposito, secondo me l'allarme-incendio è stato provocato di proposito dal ladro (Sally?) per creare CONFUSIONE e allontanarvi dallo stand!
Pinky si offrì di andare in incognito alla sede della *Gazzetta* a cercare informazioni.
Ritornammo subito a Topazia.

AH, CHE INCUBI!

Nonostante fossi a casa, quella notte dormii **malissimo**. Sognai il laboratorio di Nostratopus: il Mago mi strappava dalle zampe il manoscritto, dicendo che non ero degno di pubblicarlo, perché non facevo *Cultura* con la *C* maiuscola...

La mattina uscii a fare colazione. Stavo inzuppando una **brioche al formaggio** nel cappuccino quando... mi comparve davanti una tipa che a prima vista non riconobbi.

Lei strillò: – CAPOOO! CAPOOO! – e si pavoneggiò soddisfatta: – Che ne dici, CAPO? Non mi avevi riconosciuto, vero?

Sognai il laboratorio di Nostratopus...

La osservai. La pelliccia era tinta a mèches di colori fluo: arancione, rosso, viola, verde, blu. Su un orecchio aveva un tatuaggio tribale che rappresentava un gatto a fauci spalancate. I pantaloni erano a vita bassa, per mostrare l'ombelico. La maglietta era in TESSUTO TECNO, con una testa di gatto ricamata: solleticando i baffi del gatto si udiva un miagolio rabbioso. Sopra portava un gilerino in finta pelliccia di soriano rosa fluo. Anziché lo zainetto, Pinky aveva una borsettina pitonata. – Sono vestita da cool-hunter, cacciatrice di tendenze! Così Sally Rasmaussen non mi riconoscerà. A proposito, hai sentito la novità? Sally ha dovuto ritirare dal commercio e ristampare un milione di

copie del giornale: avevano una pagina stampata a rovescio... strano!!!
Poi Pinky partì per andare a caccia di notizie alla *Gazzetta del Ratto*.
Io rimasi ad aspettare ansioso in ufficio.
Intanto, cercai informazioni su Internet:

Nostratopus (1503-1566)
Medico e astrologo, celebre per le sue enigmatiche profezie, raccolte nelle famose *Centurie Astrologiche*. Le profezie prevedevano tutti gli eventi futuri fino alla fine del mondo. Erano però tanto misteriose che spesso venivano comprese solo dopo che l'evento si era verificato. Il manoscritto delle profezie è scomparso e non ne rimane traccia.

SEI BRIOCHE AL TALEGGIO

Pinky tornò all'*Eco del Roditore* nel pomeriggio. – Capo, alla *Gazzetta del Ratto* sono scoppiate le fognature *(strano!!!)* e gli uffici erano allagati, non ti dico la PUZZA. Per di più, sono andati in tilt anche i computer! *Strano!!!* Comunque, il manoscritto ce l'ha Sally e sta per pubblicarlo.

Topìa ululò: – Poffargatto, nipote, questa è proprio una *Notizia* con la *N* maiuscola!

Io mi strappai i baffi per la disperazione.

Ah, pensare che il mio bestseller era nelle mani di Sally...

Decidemmo che il giorno successivo saremmo

andati tutti e **tre** alla *Gazzetta* a protestare. Passai l'ennesima notte insonne, a rodermi il fegato: conoscevo Sally fin dai tempi dell'asilo, e già allora litigavamo.

Lei mi torturava sempre con i suoi dispetti, mi tirava la coda, mi portava via le matite colorate e faceva la spia alla maestra. Era una vera **PESTE**, già da piccola!

dividessero.
Sembrò poi che le nostre strade si dividessero.

Quando ereditai da mio nonno Torquato la direzione de l'*Eco del Roditore,* in Via del Tortellino 13, lei aprì la *Gazzetta del Ratto* proprio di fronte a me, in Via del Tortellino 14!

Sally non era cambiata con gli anni. Era prepotente, voleva sempre vincere a tutti i costi!

La mattina dopo, alle otto in punto, Pinky e io

ci recammo alla *Gazzetta*. Con noi avrebbe dovuto venire anche Topìa, ma come sempre era in ritardo, così andammo senza di lui.
Uscendo dall'*Eco del Roditore*, il portiere mi raccontò che il giorno prima era caduto un cornicione sulla costosa fuoriserie nuova di Sally, distruggendola completamente.
...*Strano!!!*
Entrai alla *Gazzetta del Ratto*. – Posso vedere la Signora Rasmaussen, prego? – chiesi educatamente.
La segretaria SCOSSE la testa.
– No. La signora Rasmaussen è in riunione.
Io lanciai un'occhiata alla porta a vetri e vidi Sally, circondata dai suoi collaboratori, che sventolava soddisfatta un manoscritto.
– Non si preoccupi, mi annuncio da solo! – squittii, ed entrammo spalancando la porta.

Sul muso di Sally comparve un SORRISO di trionfo. Poi chiese impaziente, lisciandosi con la zampa una ciocca di pelliccia biondo platino: – Allora, Stilton? Allora, *dico*??? *Dico*???

Sally sfoggiava (come sempre) UNGHIE LACCATE DI VIOLA e portava (come sempre) un abitino pastello all'ultima moda.

Socchiuse gli occhi color ghiaccio, tamburellò il piano della scrivania con le unghie laccate... in quel momento entrò tutto trafelato il barista. – Ecco qua la sua colazione, Signora Rasmaussen! – disse, porgendole sei brioche al TALEGGIO, tre fette di crostata di mozzarella,

Sally Rasmaussen

otto tartine al **provolone**, un toast al gorgonzola fuso e un litro di frullato al mascarpone.
Lei (che è famosa per la sua tirchieria) gli strappò il vassoio dalle zampe: – Che fai lì impalato, *dico*??? Cosa aspetti, una mancia? Illuso! Fila, pussa via, *dico,* che ho da fare!
Sally inghiottì brioche, crostata, tartine e toast praticamente senza masticare.
Intanto mi teneva d'occhio.
Io mi schiarii la gola: – Ehm, Sally, so che sei in possesso di un manoscritto antico...
Sally sogghignò: – Davvero, Stilton? *Dico!!!*
Continuai: – Il suo legittimo proprietario, Topìa Van Ratten, ha concluso un accordo con me. Mi ha ceduto i diritti della pubblicazione in esclusiva. Perciò... ridammi quel manoscritto, Sally. NON TI APPARTIENE!

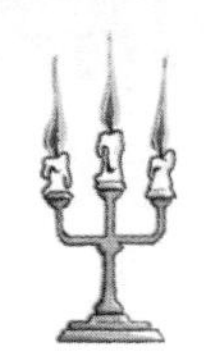

Dico, SEI PROPRIO UN INGENUO!

LEI SORRISE PERFIDAMENTE.

– *Dico,* non ci penso neanche a renderti il manoscritto! Sapevo che eri ingenuo, Stilton, ma fino a questo punto, *dico... dico*!!!

– Allora, ti rifiuti di restituire il manoscritto?

– Certo, *dico*!!! – rispose lei, stringendo il rotolo in pugno con aria di trionfo.

Io squittii: – Non è corretto, Sally.

Lei rise. – Stilton, che cos'hai nella testa, al posto del cervello? *Croccantini per gatti???*

– Il mondo è dei furbi, *dico*...

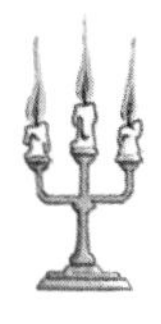

Io sospirai: – Prima o poi te ne pentirai, Sally. È solo questione di tempo.

Lei mi sventolò il rotolo sotto il muso.

– Stilton, se vuoi il manoscritto, vieni a prenderlo, *dico*!!!

Pinky sbucò da dietro le mie spalle e balzò verso Sally Rasmaussen, strillando: – CERTO CHE VENIAMO A PRENDERLO! È NOSTRO! GIÙ LE ZAMPE!

Sally sogghignò: – *Dico!* Adesso ti fai difendere da una ragazzina, Stilton?

Poi si rivolse a Pinky: – Tira fuori le unghie, cocca! A noi due!

Sally tirava da una parte. Pinky dall'altra.

– Attente! – le avvertii.

Il manoscritto si lacerò con un rumore secco, CRRRRRRRRRR!

Di colpo Sally e Pinky ricaddero all'indietro sulle rispettive code.

Pinky con una capriola si rimise subito in piedi, Sally invece cadendo trascinò con sé un candeliere dorato, che rotolò vicino alla finestra e diede fuoco alle tende.

Proprio in quel momento si spalancò la porta ed entrò Topìa, che appena vide il fuoco ululò:

– Poffargatto! Questo è un *Incendio* con la *I* maiuscola!

Poi si girò per CORRERE fuori, ma inciampò nella coda di Sally e cadde a terra, picchiando

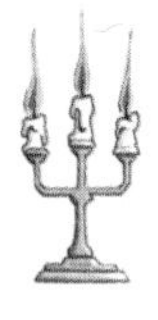

la zucca contro il tavolo di cristallo. Si rialzò barcollando... Nei corridoi udii gridare:

AL FUOCO!
AL FUOCO!

Ci ritrovammo tutti fuori, in Via del Tortellino, davanti agli uffici della *Gazzetta* che bruciava dal tetto alle fondamenta. – E il manoscritto? – chiesi.

Pinky mi mostrò un frammento di pergamena: – Ecco tutto ciò che è rimasto. Solo poche parole: Profezie dell'Eccellentissimo et Illustrissimo et Clarissimo Roditor Nostratopus, Sommo Maestro, Mago delle Profezie...

In quel momento udii gridare: – Dov'è Sally? Dov'è Sally Rasmaussen?

CHE RODITORE CORAGGIOSO!

Capii che Sally era ancora dentro.

– Che si fa? – si chiedevano i suoi collaboratori. Nessuno però accennò a entrare nell'edificio in fiamme per cercarla. Sally era molto ricca, ma certo non era molto amata...

Fu in un attimo che decisi.

– Vado io a cercarla!

Inzuppai il mio fazzoletto da taschino in un secchio d'acqua, me lo avvolsi sul muso per difendermi dal fumo e corsi dentro.

Udii delle grida dietro di me, e udii che il capo dei pompieri mi intimava di fermarmi, ma troppo tardi! Ero già entrato.

PER MILLE MOZZARELLE, QUANTO PESAVA!

Il caldo era infernale. Pezzi di travi crollavano dal soffitto, mentre io cercavo affannosamente di salire al primo piano, all'ufficio di Sally. Finalmente, ecco le scale!

Le salii a due gradini alla volta, pregando che non cedessero sotto le mie zampe.

Nel fumo intravidi una porta a vetri, afferrai la maniglia e lanciai uno *squit* di dolore: scottava! Finalmente vidi Sally: era a terra svenuta. La afferrai (per mille mozzarelle, quanto pesava!) e me la misi sulle spalle, poi faticosamente tornai verso le scale.

Non so dirvi come riuscii a scendere con Sally sulle spalle; forse fu solo la forza della disperazione. Quando finalmente uscii all'aperto, tutti si affollarono intorno a me.

– Questo tipo, *cioè questo topo,* è un eroe! – gridò il capo dei pompieri.

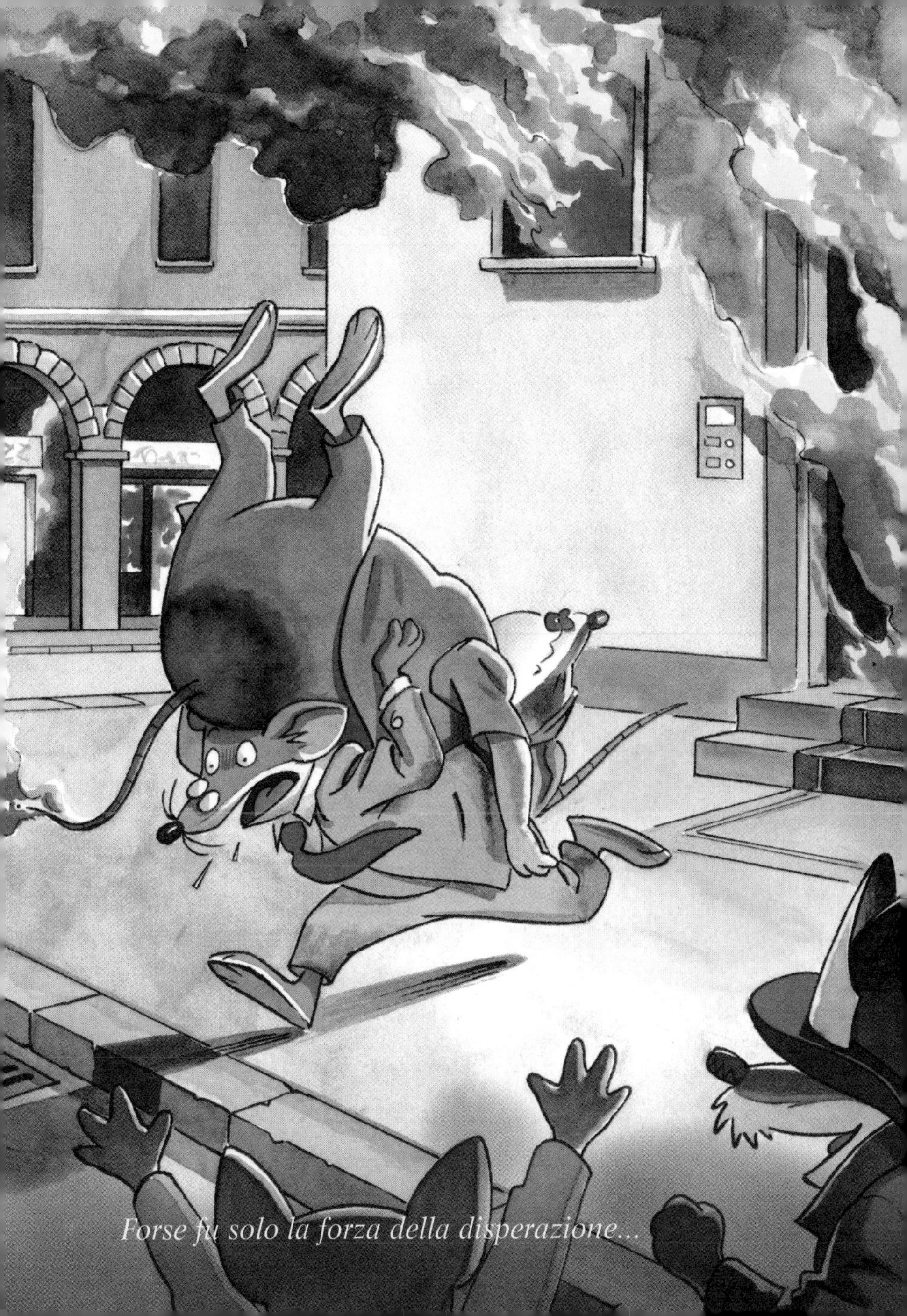

Forse fu solo la forza della disperazione...

FLASH
FLASH
FLASH

Un fotografo scattava fotografie a raffica. Tutti dicevano: – Che roditore coraggioso!
Io sono timido e non amo mettermi in mostra, così squittii: – Ehm, io non ho fatto proprio nulla di speciale!
In quel momento Sally aprì gli occhi e disse: – Stilton? Stilton, *dico,* perché mi hai salvato? *Dico,* volevi fare l'EROE?
Io scossi la testa. – Ho fatto solo ciò che mi suggeriva la mia coscienza, Sally. E sono felice che tu stia bene... solo questo conta!
Lei mi fissò a lungo con gli occhi color ghiaccio. Per un attimo, solo per un attimo, mi parve commossa e pensai che mi avrebbe ringraziato.
Poi però si sollevò sulla barella e agitò il pugno, urlando: – Non ci credo! Eroe da strapazzo, volevi soltanto farti pubblicità a mie

spese, finire in prima pagina, **DICO!!!** Ma sul mio giornale non ci andrai, Stilton, te lo garantisco! Non ci andrai!

Mentre la portavano via in barella la udii ancora squittire, infuriata: – Sul mio giornale non ci andrai, **DICO!!!** Non ci andrai! **DICO!!! DICO!!! DICO!!!**

Sospirai. Povera Sally. Ancora non si rendeva conto che non aveva più un giornale...

FINALMENTE HO CAPITO!

La mattina dopo andai in ufficio. Scoprii che il mio muso bruciacchiato era sulla prima pagina di tutti i giornali:

'CORAGGIOSO TOPO EDITORE SALVA DA UN INCENDIO LA RIVALE!'

◆

'GERONIMO STILTON SI GETTA TRA LE FIAMME CON INCREDIBILE SPREZZO DEL PERICOLO PER SALVARE SALLY RASMAUSSEN...'

◆

'IL NUOVO EROE DELL'ISOLA DEI TOPI: GERONIMO STILTON, L'EDITORE DAL CUORE GENEROSO...'

Commentando l'incendio, i giornali riferivano tutte le disgrazie che si erano abbattute sulla *Gazzetta del Ratto*:

1. un milione di copie del giornale erano state stampate a rovescio...
2. erano scoppiate le fognature...
3. tutti i computer erano andati in tilt...
4. un cornicione era caduto sulla costosa fuori serie di Sally…
5. ... distruggendola completamente!
6. infine la *Gazzetta* aveva preso FUOCO...

Sembrava quasi che una maledizione si fosse abbattuta su Sally, appena aveva rubato il manoscritto di Nostratopus.

Quanti guai! Strano!!!

La parola *guai* mi ricordò qualcosa. D'improvviso ripensai a quelle incomprensibili quartine: solo ora ne capivo il significato!

Lo capite anche voi? Provate! (altrimenti leggete la soluzione capovolta).

GUAI A CHI IL MAGO
OSERÀ SFIDARE,
GIACCHÉ PER IL SUO ARDIRE
DOVRÀ PAGARE!

SE OTUBAR IL MANOSCRITTO SARÀ,
NESSUN ERIDOTE MAI PIÙ LO ARCHEIBBLUP.
FUOCO TRA LA TRACA DI ALYLS DIVAMPERÀ
E RE GIMONO CELEBRE DIVENTERÀ.

Soluzione:
ogni parola sottolineata è un anagramma.
Significa che mescolando le lettere della parola se ne ottiene un'altra:

OTUBAR = RUBATO

ERIDOTE = EDITORE

ARCHEIBBLUP = PUBBLICHERÀ

TRACA = CARTA

ALYLS = SALLY

RE GIMONO = GERONIMO.

Ecco come risulta la quartina:

SE RUBATO IL MANOSCRITTO SARÀ,
NESSUN EDITORE MAI PIÙ LO PUBBLICHERÀ.
FUOCO TRA LA CARTA DI SALLY DIVAMPERÀ
E GERONIMO CELEBRE DIVENTERÀ.

ADORO LA SOLITUDINE...

Stavo ancora riflettendo sul significato delle quartine quando nel mio ufficio entrò Topìa.

– Ehilà, Stilton, ho promesso di aiutarla a sollevare il livello culturale della casa editrice ed eccomi qua, a proposito, dove mi sistemo, credo che *questo* ufficio andrà benissimo, ah è il *suo* ufficio, ma sì, va bene lo stesso, quando sgombera, a proposito, dov'è **LA MACCHINA DEL CAFFÈ?**

– Ecco, giusto, posso offrirle un caffè? – lo interruppi, cercando di cambiare argomento. Poi chiesi, curioso: – Anche se il manoscritto è andato bruciato, lei lo ha letto, allora me la può dire, la Data della Fine del Mondo?

Mi guardò sorpreso: – Data? Quale Data?

– Ma sì, la DATA DELLA FINE DEL MONDO, quella del manoscritto! – insistetti, con un sorriso d'intesa.

Lui scosse la testa, perplesso: – Manoscritto? Quale manoscritto?

– Quello di Nostratopus! Il manoscritto di Nostratopus! – strillai, esasperato.

Lui scosse ancora la testa: – Nostratopus? Quale Nostratopus?

In quel momento entrò Pinky. – Ciao, zio!

Continuò rivolta a me: – Capo, lo sai che dopo la botta in testa Topìa ha dimenticato tutto ciò che riguarda il manoscritto?

Topìa urlò: – Tranquillo, Stilton, ho dimenticato solo quello, sa? Tutto il resto ce l'ho qui,

sulla punta della lingua! Allora, da dove cominciamo per fare di lei un *Editore* con la *E* maiuscola?

Io approfittai dell'occasione per dare a tutta la redazione un annuncio ufficiale: – Scriverò un libro intitolato *Il misterioso manoscritto di Nostratopus*. Racconterà tutta la nostra avventura, dal viaggio a Topoforte al furto del manoscritto, fino all'incendio della *Gazzetta*...

Tutti applaudirono entusiasti. Topìa commentò: – Poffargatto, che bella idea, Stilton!

Chissà che lei riesca (finalmente) a diventare uno *Scrittore* con la *S* maiuscola!
Decisi di ritirarmi a scrivere nella mia casa a Picco Puzzolo e affidai l'ufficio a Pinky.
Lei mi rassicurò: – Tutto sotto controllo, capo! Il CONSULENTE FINANZIARIO GLOBALE si occuperà dei tuoi affari. Tu pensa solo a scrivere, capo!
Passai un mese di sogno, circondato dai miei amati libri. Adoro la solitudine, amo fantasticare su storie, personaggi, intrecci. Scrivevo dall'alba al tramonto. Io sono sempre felice quando scrivo! Ebbi tempo per riflettere su come ci fosse davvero una giustizia nella vita.
Sì, *non sempre i furbi vincono.*

Finalmente terminai il libro.

PROFUMO DI PARMIGIANO

Tornai in città.

Tornai a Topazia.

Come prima cosa andai in casa editrice.

Entrato nell'ufficio dell'Amministrazione, trovai un TOPINO con gli occhiali, che dimostrava più o meno quattordici anni, seduto con aria solenne a una scrivania. Pensai che fosse un amico di Pinky.

– Ciao, che ci fai qui? – chiesi cordiale.

Lui squittì: – Buongiorno, dottor Stilton! Il mio nome è

Eupremio Finanz

Eupremio Finanz. Avrei giusto due o tre precisazioni da chiederle, riguardo alla sua posizione fiscale...

Io sbarrai gli occhi incredulo. – Cosa cosa cosa? **PINKYYYYYYYYYY!**

Lei arrivò fulminea.

Le chiesi, preoccupato: – Spero proprio di aver capito male. Non dirmi che è questo il CONSULENTE FINANZIARIO GLOBALE!

Lei mi fece un sorrisetto soddisfatto. – **Hai capito bene**, capo. Questo è un CONSULENTE GLOBALE! Nel senso che si occupa di tutto:

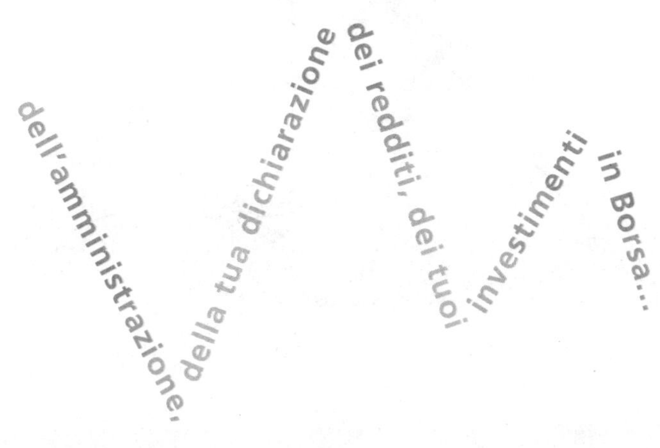

Io svenni. Pinky mi **RIANIMÒ** con dei sali al profumo di parmigiano.
Mormorai: – Ditemi che sto sognando. Ditemi che questo è solo un incubo, l'incubo peggiore che un editore possa immaginare...

Appena esaminai la contabilità però cambiai idea: mi accorsi che Eupremio Finanz era un piccolo genio.

Pensate, aveva investito a colpo sicuro tutto il mio patrimonio in azioni di una nuova società che vendeva formaggi via Internet.

Mi aveva fatto guadagnare oltre il 300% dell'investimento!

Pinky sussurrò: – Ti consiglio di assumerlo subito, capo, prima che ci pensi qualcun altro, per esempio Sally Rasmaussen...

A proposito di Sally: appena uscita dall'ospedale non aveva perso tempo e aveva fondato una nuova *Gazzetta*.

Guardai fuori dalla finestra e sospirai: in Via del Tortellino 14 i lavori per riedificare la *Gazzetta* PROCEDEVANO SPEDITI.

Per risparmiare, però, anziché assumere dei

muratori, Sally aveva costretto i suoi stessi dipendenti a lavorare come schiavi per ricostruire l'edificio, a stipendi da fame e ritmi di lavoro da **incubo...**

IO ADORO IL FORMAGGIO!

Strinsi la zampa a **Eupremio Finanz** e mi congratulai con lui. Lasciata l'Amministrazione, finalmente mi diressi verso il *mio* ufficio. Entrai e vidi Topìa seduto alla *mia* scrivania. Strillava ordini nel *mio* telefono, alla *mia* segretaria...

– Ehilà, Stilton! Mentre era via io ho scritto e pubblicato *Semeiotica protozoica di metamorfosi topoidale, ovvero cosmogonia criptica della stipsi!*

– Ma che titolo è? Non ci capisco niente! – protestai. Lui continuò imperterrito.

– Ho anche pubblicato un manuale: *Come alle-*

l'esploratore
lo strizzacervelli
il parrucchiere
il ballerino di
danza classica
il culturista
il maestro di golf
il bagnino
il becchino
l'architetto
il pompiere
l'antiquario
il topologo
l'astronauta
il poeta
l'idraulico
il cantante
rock
il salumiere
lo chef
il medico
il calciatore
il pilota di
Formula Uno

vare un gatto: razze, abitudini, alimentazione – continuò lui soddisfatto.

– Ma a quale roditore interessa allevare un gatto? – gridai, **strappandomi i baffi dalla rabbia.**

Lui scartò una caramellina al caffè e proseguì: – Ho in mente un altro titolo eccezionale: *Autobiografia di un Genio* (la storia della mia vita). È contento, Stilton? Eh? È contento?

Ha proprio ragione il proverbio: *quando il capo non c'è, i topi ballano!*

Mi consolai pensando che c'erano tanti altri lavori interessanti, oltre a quello dell'editore.

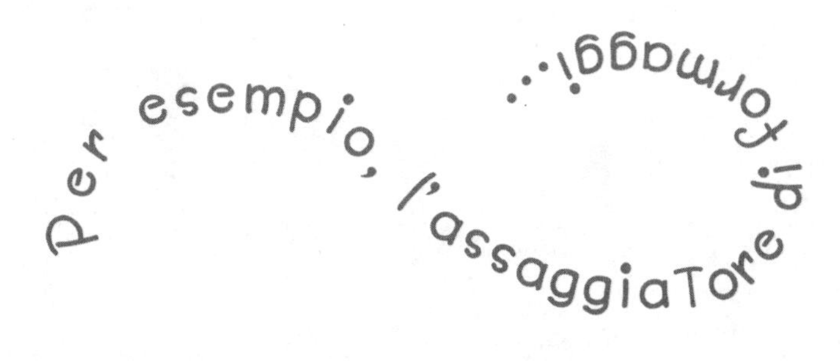

Io adoro il formaggio...

1°

PRIMO IN CLASSIFICA

Volete sapere com'è andata a finire?

SONO PASSATI SEI MESI.

Io (naturalmente) ho continuato a fare l'editore. La *Gazzetta* (naturalmente) ha ricominciato a fare la guerra all'*Eco del Roditore.*

Tutto, insomma, è ritornato come prima.

O quasi... volete sapere la novità?

Il misterioso manoscritto di Nostratopus ha avuto un successo **eccezionale**: è già primo nella classifica dei libri più venduti, qui a Topazia!

A proposito, è il libro che state leggendo voi adesso... vi piace? Spero di sì.

Vi confesso un segreto (che rimanga tra noi, però!).
Sto già pensando al prossimo libro.
Vi dico solo che parlerà di piramidi, di antiche civiltà scomparse, di Atlantide, Shangri-là, Eldorado...
Mi sto già **documentando** e non vedo l'ora di iniziare a scriverlo.
Allora, cari amici roditori, arrivederci al prossimo libro: un libro Stilton, naturalmente!

Tutto è ritornato come prima…

INDICE

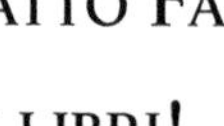

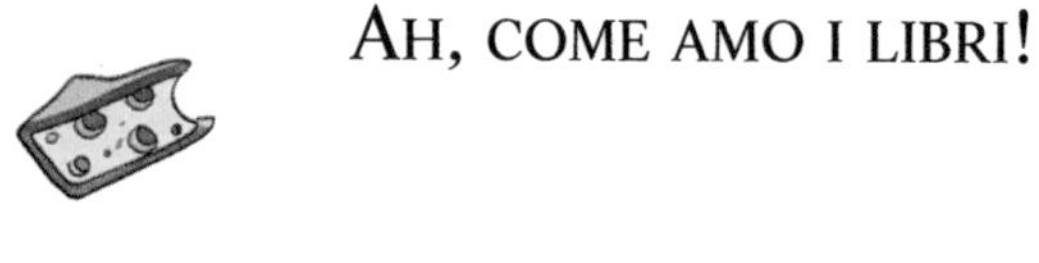

1. IL MISTERIOSO MANOSCRITTO DI NOSTRATOPUS
2. GIÙ LE ZAMPE, FACCIA DI FONTINA!
3. QUATTRO TOPI NELLA GIUNGLA NERA
4. IL FANTASMA DEL METRÒ
5. IL GALEONE DEI GATTI PIRATI
6. UNA GRANITA DI MOSCHE PER IL CONTE
7. L'ISOLA DEL TESORO FANTASMA
8. IL SORRISO DI MONNA TOPISA
9. IL MISTERO DELL'OCCHIO DI SMERALDO
10. È NATALE, STILTON!
11. TUTTA COLPA DI UN CAFFÈ CON PANNA
12. IL TEMPIO DEL RUBINO DI FUOCO
13. UN VERO GENTILTOPO NON FA... SPUZZETTE!
14. UN ASSURDO WEEKEND PER GERONIMO
15. BENVENUTI A ROCCA TACCAGNA

Geronimo Stilton

Nato a Topazia (Isola dei Topi), Geronimo Stilton è laureato in Topologia della Letteratura rattica e in Filosofia archeotopica comparata.

Dirige l'*Eco del Roditore,* il più diffuso quotidiano di Topazia.

Gli è stato conferito il Premio Topitzer per lo scoop *Il mistero del tesoro scomparso.*

Geronimo ha ricevuto anche il Premio Andersen 2001 come personaggio dell'anno.

Ha scritto oltre 120 libri, tradotti in 35 lingue, che hanno venduto solo in Italia 10 milioni di copie.

Nel tempo libero, Stilton colleziona antiche croste di parmigiano del Settecento, gioca a golf, ma soprattutto adora narrare fiabe al suo nipotino Benjamin...

Eco del Roditore

Redazione

Eco del Roditore

1

2

3

4

5

6

7

9
11
12
13
14
15
1. Eliporto
2. Soffitta
3. Servizi
4. Sala riunioni
5. Ufficio di Geronimo Stilton
6. Servizi
7. Redazione
8. Area relax
9. Grafici e illustratori
10. Mensa
11. Ingresso e ascensore
12. Centralino
13. Ufficio estero e marketing
14. Tipografia
15. Cantina

1
2
3
4
8
9
18
13
12
19
11
10
17
Fiume Topaz
15
28
5
22
20
26
7
23
27
14
16
25
21
24
36
40
38
37
29
31
41
Spiagg
32
34
33
6
30
42
43
39
35

Topazia, la Città dei Topi

1. Zona industriale di Topazia
2. Fabbriche di Formaggi
3. Aeroporto
4. Televisione e radio
5. Mercato del Formaggio
6. Mercato del Pesce
7. Municipio
8. Castello Snobbacchiottis
9. Sette colli di Topazia
10. Stazione ferroviaria
11. Centro Commerciale
12. Cinema
13. Palestra
14. Salone dei Concerti
15. Piazza Pietra Che Canta
16. Teatro Tortiglione
17. Grand Hotel
18. Ospedale
19. Orto Botanico
20. Bazar della Pulce Zoppa
21. Parcheggio
22. Museo di Arte Moderna
23. Università e Biblioteca
24. Gazzetta del Ratto
25. Eco del Roditore
26. Casa di Trappola
27. Quartiere della Moda
28. Ristorante Au Fromage d'Or
29. Centro per la Difesa del Mare e dell'Ambiente
30. Capitaneria
31. Stadio
32. Campo da Golf
33. Piscina
34. Tennis
35. Parco dei divertimenti
36. Casa di Geronimo
37. Quartiere degli Antiquari
38. Libreria
39. Cantieri navali
40. Casa di Tea
41. Porto
42. Faro
43. Statua della Libertà

Per di qua, allo Stretto del Ratto Rattato
Qui passano le balene
Galeone dei Gatti Pirati
Isola Corsara
2
3
4
Isola Tortuga
1
Atollo delle Isole Felici
Arcipelag
Pantegan
Puzzona
6
7
5
Golfo del Dente Cariato
Barriera corallina
Baia dei Delfini
Per di qui, all'Oceano Rattico meridionale
25
8
14
Port
Tanf
9
13
11
10
12
Porto Schifio
Rada del Gatto Randagio
Topoforte
15
32
21
Per di qua, al Mar delle Vibrisse Vib
Qui squali!
Portosorcio
20
22
17
29
19
26
18
23
16
35
TOPAZIA
24
Porto Crostolo
28
30
27
Faro Forforoso
31
36
37
N
33
34
S
Isola Spellicciata
ISOLA DEI TOPI
Relitto affiorante
Per di qua, al Mar dei Topassi

Isola dei Topi

1. Grande Lago di Ghiaccio
2. Picco Pelliccia Ghiacciata
3. Picco Telodoioilghiacciaio
4. Picco Chepiufreddononsipuò
5. Topikistan
6. Transtopacchia
7. Picco Vampiro
8. Vulcano Sorcifero
9. Lago Zolfoso
10. Passo del Gatto Stanco
11. Picco Puzzolo
12. Foresta Oscura
13. Valle Misteriosa
14. Picco Brividoso
15. Passo della Linea d'Ombra
16. Rocca Taccagna
17. Parco Nazionale per la Difesa della Natura
18. Las Topayas Marinas
19. Foresta dei Fossili
20. Lago Lago
21. Lago Lagolago
22. Lago Lagolagolago
23. Rocca Robiola
24. Castello Zanzamiao
25. Valle Sequoie Giganti
26. Fonte Fontina
27. Paludi solforose
28. Geyser
29. Valle dei Ratti
30. Valle Panteganosa
31. Palude delle Zanzare
32. Rocca Stracchina
33. Deserto del Tophara
34. Oasi del Cammello Sputacchioso
35. Punta Cocuzzola
36. Giungla Nera
37. Rio Mosquito

Cari amici roditori,
arrivederci al prossimo libro.
Un altro libro coi baffi,
parola di Stilton...

Geronimo Stilton